美しき国字の世界

峠（とうげ）

「今夜が峠です」とお医者さんに言われたときの切なさを思い出した。「峠」という日本で生まれた国字といわれる漢字について書こうと思ったからだ。とはいえ、峠に罪はない。むしろ、峠には希望があるからこそ、希望の裏返しとして使われることがあると思ったほうが良いだろう。

峠という漢字に「峠の茶屋」「峠の釜飯」などを思い出す人も多いと思う。山の上り道をやっと終えた安堵の気持ちが峠に残される。峠は厳しい山道の一段落でもあるように存在している。

「とうげ」という言葉を調べてみると「手向け（たむけ）」が変化したという説がある。なぜ手向けるか？　というと山道の上には神がいるからということで、峠では神に手を合わせるということが由来なのだろう。峠には道祖神や祠があることも多いという。ぼくもどこかでみたことがある気がするけれど、思い出せない。でも、峠にはありそうな気がする。やはり「峠」という文字を作らなければならないほど、霊験あらたかな場所の現れでもあると感じる。

この峠という文字だが、国字の中でもかなり説明的な字、とでもいえばいいのだろうか、なんたって山の上下だからね、単純明快である。山の上りと下りの分岐点。そのままである。上って下りる、上って下りる……。それが峠の峠たる所以なのだ。その単純明快さが比喩的表現にも使いやすいのだとも感じられる。もうひとつ、とてもデザイン的というか、シンプルな構成の文字だけにグラフィックとしても良くできた国字だとも思う。「山」は線対象であり、「上」と「下」は多少のつくりは違うが上下反転していることも興味深い。

話は変わるが、峠というと思い出す言葉がある。車やバイクで走ることを趣味にしている人が「今日は峠を攻めよう！」とかいうあれだ。目指すべき難しいコースという意味でもあろう。峠の道の険しさを表している。その厳しさあればこそ峠を超えるとき、人はほっとしたり、また旅の安全を祈念したりするわけである。やはり「峠」は山道の頂点なのである。

峠の向こう側に何があるかはわからない。峠の向こう側に広がる世界が素晴らしいものであるかもしれないし、自分の身に危険が迫るような世界かもしれない。そんな期待と不安が峠にはある。だから、「今夜が峠です」とお医者さんは使うのだろう。今夜さえ超えれば身体も安定するかもしれない、という願いを込めて。

text Toru Kitahara

left girl : Jacket ¥925100, Top ¥220000, Pants ¥401500, Necklace(one circle motif) ¥141900, Necklace(double pearl and chain) ¥211200, Necklace(two circle motifs) ¥88000, Suspenders ¥243100, Belt ¥188100, Ring ¥78100 all by CHANEL
right girl : Top ¥220000, Skirt ¥646800, Pierced earring ¥182600, Necklace(heart motif) ¥168300, Necklace(circle motif) ¥185900, Necklace(triple pearl) ¥479600, Bracelet(with charm) ¥138600, Bracelet ¥410300 all by CHANEL

Equally Beautiful

all items by CHANEL

staring SUMIRE, Serena Motola

photography Toru Kitahara
styling Rena Semba
hair Takeo Arai
makeup Kohi Ando, Manaho Kyogoku
(both from Takeo Arai Office)

left girl : Jacket ¥925100, Top ¥220000, Pants ¥401500, Necklace(one circle motif) ¥141900, Necklace(double pearl and chain) ¥211200, Necklace(two circle motifs) ¥88000, Suspenders ¥243100, Belt ¥188100, Ring ¥78100 all by CHANEL
right girl : Top ¥220000, Skirt ¥646800, Pierced earring ¥182600, Necklace(heart motif) ¥168300, Necklace(circle motif) ¥185900, Necklace(triple pearl) ¥479600, Bracelet(with charm) ¥138600, Bracelet ¥410300 all by CHANEL

Jacket ¥500500, Jump suit ¥745800, Pierced Earring ¥68200
Necklace(multicolored fringe) ¥621500, Necklace(long type) ¥201300
Bracelet ¥101200(each) all by CHANEL

left girl : Vest ¥1054900, Skirt ¥953700, Headband ¥610500, Bracelet ¥163900(each) all by CHANEL
right girl : Jacket ¥1146200, Skirt ¥763400, Headband ¥368500 all by CHANEL

Top ¥374000, Skirt ¥448800, Coat(in her hand) ¥1382700, Necklace ¥479600
Bracelet(thin type) ¥163900(each), Bracelet ¥410300(each) all by CHANEL

Jacket ¥2443100, Dress ¥1845800, Necklace (reference product)
Bracelet(thin type) ¥136400(each), Bracelet ¥201300(each) all by CHANEL

SUMIRE

1995年7月4日、東京都出身。2014年より雑誌「装苑」の専属モデルとして活動し、ファッションを中心に様々なジャンルで活躍。18年に映画「サラバ静寂」(宇賀那健一監督)のヒロイン役で女優デビュー。19年には「悪の波動 殺人分析班スピンオフ」(WOWOW)でヒロインを務めた。主な映画出演作に「リバーズ・エッジ」(18/行定勲監督)、「TOURISM」(19/宮崎大祐監督)、「mellow」(20/今泉力哉監督)、「裏アカ」(21/加藤卓哉監督)などがある。映画「妖怪大戦争 ガーディアンズ」(三池崇監督)が公開中、ドラマ「いりびと-異邦人-」(21/WOWOW)が11月から配信予定。

Trench coat ¥1799600, Hat ¥206800, Pierced earring ¥182600, Necklace ¥168300 all by CHANEL

モトーラ世理奈
2015年1月号「装苑」ニューカマースペシャルにてモデルデビュー。数多くのアパレルブランドや
ファッション誌の表紙を飾る。2018年「少女邂逅」で映画デビューし、2020年の映画「風の電話」、
映画「タイトル、拒絶」にて2020年第94回キネマ旬報ベスト・テン新人女優賞を受賞。WOWOW
開局30周年記念連続ドラマW宮部みゆき「ソロモンの偽証」が10/3放送スタート。
Jacket ¥971300, Tunic ¥374000, Top ¥276100, Necklace ¥1249600 all by CHANEL

AFTER IMAGE of SHADOW

COMME des GARÇONS
2021 automne hiver

photography Toru Kitahara

KEEP CHIC

TAKAHIROMIYASHITATheSoloist.
2021 automne hiver

styling Takahiro Miyashita, hair and makeup TAKA Nukui(Home Agency), model Rina Ota, photography Toru Kitahara

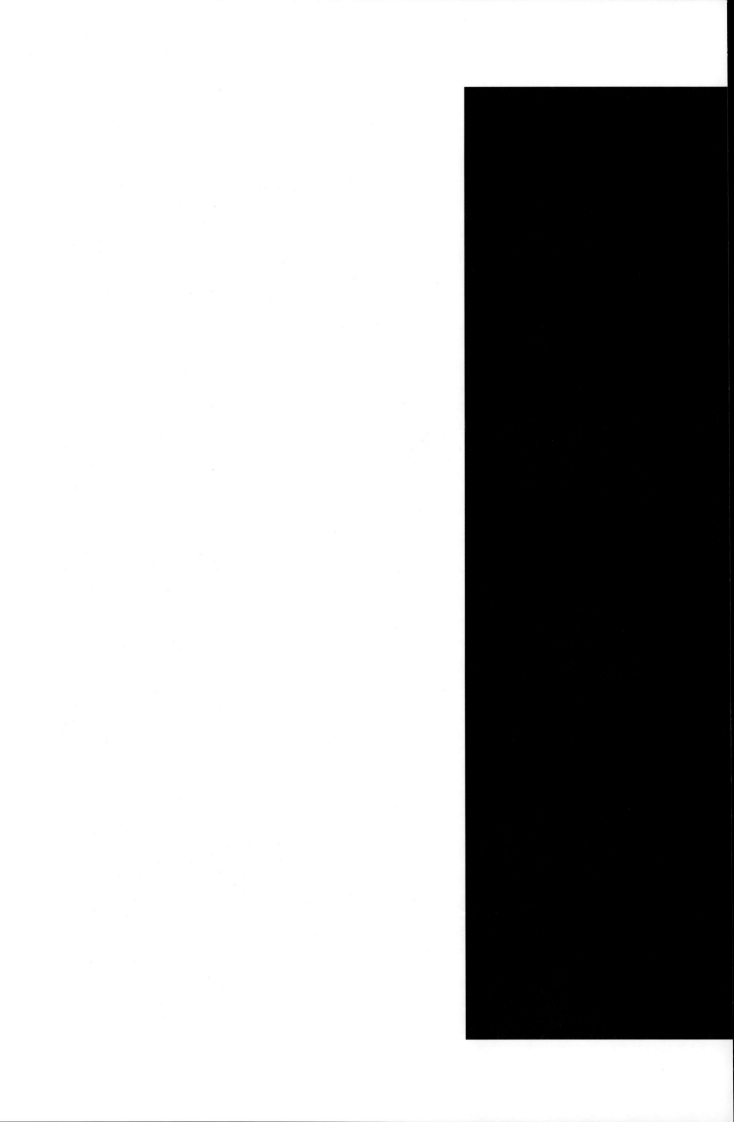

Flew in brightness

All items by COMME des GARÇONS HOMME PLUS

Staring Hio Miyazawa

photography, styling Toru Kitahara, hair and makeup Takeo Arai

left page: Jacket ¥231000, Shirt ¥38500, Pants ¥71500, Belt (for your reference) all by COMME des GARÇONS HOMME PLUS
this page: Jacket ¥238700, Pants ¥57200, Belt (for your reference) all by COMME des GARÇONS HOMME PLUS

Coat ¥415800, Jacket ¥157300, Shirt (for your reference), Pants ¥57200
Shoes ¥81400, Socks ¥4950 all by COMME des GARÇONS HOMME PLUS

Cape ¥297000 by COMME des GARÇONS HOMME PLUS

Jacket ¥240900, Pants ¥53900 both by COMME des GARÇONS HOMME PLUS

left page: Knit ¥49500 by COMME des GARÇONS HOMME PLUS
this page: Jacket ¥157300, Shirt (for your reference)
Pants ¥57200 all by COMME des GARÇONS HOMME PLUS

等はぼくの延長線上にありました。

美しい映像の中で演じ手は美しく存在している。体温が少しだけ感じにくいのは、小説家が用意した装置でもあるのかもしれない。そんな印象の映画『ムーンライト・シャドウ』に宮沢氷魚さんは主人公(小松菜奈さん演じる「さつき」)の彼氏「等」をまるで小説から出てきたかのように演じ切っている。

吉本ばななさんの『ムーンライト・シャドウ』は身近な人の死からどう乗り越えるか、がテーマと言われる。小説に出てくる等を宮沢さんはどう対峙したのか?

「役作りという意味ではやりやすかったかもしれません。原作を読んだときも、等に自分に近いものを感じました。ぼくは3人兄弟の長男で、下のふたりが自由に暮らしている中で、ぼくが家族のバランスを取ろうとして、自分を犠牲にしてきたことがありました。自分の感情ややりたいことを押し殺して、それでも笑顔でいるような感じでした。映画の中のシーンで等がなんとも言えない表情を見せるのですが、そこに等の闇というか、家族のバランスが崩れるから自分を押し殺す一面に自分を重ねられました。等はぼくの延長線上でした」

小松さんとのやりとりも多くを語るわけではなく、映像の美しさが際立つものに仕上がっている。そこに演じ手は表情、そして空気感を持って挑んでいるようだ。

「言葉を足さずに世界観を考えすぎずに作品は作られていきました。だから、スッと入ってくる感じになっていれば良いと思っています」

宮沢さんにとって役者の道を選んだことはとても意味のあることだ。

「ドラマが好きだったぼくは役者に興味を持ちました。中学高校と野球部で週7日練習がある厳しさで、大学はアメリカ留学しましが、ひとりになって何がしたいか、と思ってときに俳優の道に進みたくて、自分で今の事務所にアプローチしました。モデルは表現の難しさを感じることがあります。スチールの難しさと言えば良いのでしょう

か。一瞬を捉えられて、その一瞬で表現する難しさ。服と表現と世界観を一瞬で見せることはお芝居にも通じます」

映画『ムーンライト・シャドウ』は川が重要な風景になっている。宮沢さんは"川好き"ということだ。

「東京においてかつて川は生活に必要なものでした。物資の運搬、飲料、本当に生活に欠かせないものでした。ですが、道ができて、高速や鉄道に代わっていきました。川は死んでしまいました。汚い水のまま東京湾に流されていくことは何かを疎かにしていることだと思います。川は繋がっています。人間で言うならば、血管のように張り巡らされて機能しているのです。なくてはならないものだから、生活排水が流れていることで、美しい状態ではないけれど、川が街を潤わせていることに興味を持って欲しいと思っています。中でも下に川が流れている暗渠には興味を持って欲しいですね」

今回の撮影では日本のブランドの中でもトップと言っても過言ではない<COMME des GARÇONS HOMME PLUS>を着ていただいた。

「いろんな服を見てきました。友だちとどんな服着て会っていたと言うことも覚えていることもあります。こういうバックストーリーも含めて、ファッションの力を感じることがありますね」

とてもピュアな印象のある宮沢氷魚さん。コーディネートごとにその服の特徴を捉えながらポージングしてくださったのが印象的で、とても丁寧な生き方をしているのだと思わせてくれた。

photography, styling, text Toru Kitahara
hair and makeup Takeo Arai

宮沢氷魚(みやざわ・ひお)
1994年4月24日アメリカ・カリフォルニア州サンフランシスコ生まれ、東京都育ち。「MEN'S NON-NO」(集英社)専属モデル。2017年、TBS系ドラマ「コウノドリ」第2シリーズで俳優デビュー。以後、NHK連続テレビ小説「エール」、「偽装不倫」、映画「騙し絵の牙」などに出演。初主演映画「his」では第12回TAMA映画賞最優秀新進男優賞、第45回報知映画賞新人賞、第42回ヨコハマ映画祭最優秀新人賞、第30回日本映画批評家大賞新人男優賞を受賞。舞台に「BOAT」「豊饒の海」「CITY」「ピサロ」。2022年前期NHK連続テレビ小説「ちむどんどん」への出演を控える。

Jacket ¥231000, Shirt ¥38500 both by COMME des GARÇONS HOMME PLUS

Head dress ¥36300 by misaharada London, Necklace ¥29700 by JOHN LAWRENCE SULLIVAN
Dress underneath ¥253000, Tutu ¥210000 both by Chika Kisada
Boots ¥272800(reference price) by OFF-WHITE c/o VIRGIL ABLOH™

TIME WILL TELL

Shirt ¥445500(reference price), Skirt ¥675400(reference price)
Tie ¥61600(reference price), Dress ¥6429500(reference price)
Shoes ¥430100(reference price) all by Thom Browne / Thom Browne Aoyama

staring
Sara Minami

photography Toru Kitahara
styling Reica Iijima
hair Takeo Arai
make Kohi Ando(Takeo Arai office)

Head dress ¥36300 by misaharada london,
Top ¥35200, Dress ¥42900, Tutu, Pants (both for your reference) all by MIYAO
Shoes ¥104500(reference price) by KIMHEKIM

Dress ¥84700, Harness ¥41800
Skirt ¥79200, Shoes ¥93500 all by noir kei ninomiya

南沙良　SARA MINAMI
女優、モデル。2002年6月11日生まれ、東京都出身。映画『幼な子われらに生まれ』
(2017年8月公開)で女優デビュー。初主演映画『志乃ちゃんは自分の名前が言えない』
(2018年7月公開)で、報知映画賞、ブルーリボン賞他、数々の映画賞を受賞し、その演技
力が高く評価される。その他、映画『居眠り磐音』、『もみの家』、ドラマ『うつ病九段』(BSプ
レミアム)、『六畳間のピアノマン』(NHK)、映画『太陽は動かない』、Netflix映画『彼女』、日
曜劇場『ドラゴン桜』(TBS系)など、出演作多数。2022年放送の大河ドラマ『鎌倉殿の13
人』(NHK)への出演を控える。江崎グリコ「ポッキー」イメージキャラクター、日清食品「カップ
ヌードル」CMキャラクター。　Instagram:lespros_sara00
Ear jacket ¥29700 by carat a, Dress ¥836000 by VIVIANO

Magnet Earring ¥27500(right top/reference price), Earrings ¥90200(right bottom/reference price)
Necklace ¥85800(reference price), Jacket ¥331100, Trousers ¥118800, Mittens ¥130900(reference price) all by Givenchy

Funky Flushin'

photographer Kitahara
styling Erica Isino
hair Takeo Arai(Takeo Arai office)
makeup Kitahara(Takeo Arai office)
model Aoi Watanabe

Outerwear ¥1105500, Skirt ¥378400(reference price) both by Givenchy

Earrings ¥49500, Outerwear ¥694100, Skirt ¥378400(reference price) all by Givenchy

Earrings ¥136400(left/reference price), Earrings ¥49500(right/reference price)
Outerwear ¥361900, Trousers ¥125400, Skirt ¥473000, Bag ¥269500(reference price) all by Givenchy

Cap ¥88000, Earrings ¥49500(reference price), Magnet Earring ¥27500(reference price)
Necklace ¥267100(reference price)Sweater ¥110000, Skirt ¥378400, Trousers ¥125400, Bag ¥218900(chain sold separately)
Chain ¥192500(bag sold separately), Mittens ¥130900, Boots ¥148500(reference price) all by Givenchy

Cap ¥88000, Necklace ¥287100(reference price), Earrings ¥49500(reference price), Sweater ¥110000
Trousers ¥125400, Bra ¥220000(reference price), Skirt ¥378400(reference price), Mittens ¥130900 all by Givenchy

ISH INDIAN CAFE

Rollicking
Good Time
all items by
COMME des GARÇONS GIRL

Special thanks THE LACE CENTER harajuku.
CAFE 1930
photography, styling Toru Kitahara
hair and makeup Takeo Arai
model Sara Catalina Tsunoda, Hana Haelters

left girl: Coat ¥148500, Shoes ¥63990
right girl: Coat ¥187000, Shoes ¥40700

Left girl: Jacket ¥80300, Blouse ¥34100 both by COMME des GARÇONS GIRL
right girl: Jacket ¥73700, Jumper Skirt ¥88000 both by COMME des GARÇONS GIRL

left girl: Dress ¥60500, Jacket ¥49500 both by COMME des GARÇONS GIRL
right girl: Dress ¥62700, Jacket ¥47300 both by COMME des GARÇONS GIRL

Jacket ¥80300, Blouse ¥34100, Pants ¥30000, Socks (for your reference) all by COMME des GARÇONS GIRL
Shoes ¥24200 by COMME des GARÇONS COMME des GARÇONS

Jacket ¥73700, Jumper Skirt ¥88000, Socks (for your reference) all by COMME des GARÇONS GIRL
Shoes ¥18700 by COMME des GARÇONS COMME des GARÇONS

left girl: Blouse ¥34100, Pants ¥33000 both by COMME des GARÇONS GIRL
right girl: Jumper skirt ¥88000 by COMME des GARÇONS GIRL

Jacket ¥91300, Blouse ¥38500, Skirt ¥57200, T-shirt, Socks (both are for your reference) all by COMME des GARÇONS GIRL

LISTEN TO THE SOUNDS.
the engy

left to right
境井さん : Glasses ¥28600 by EFFECTOR / OPTICAL TAILOR CRADLE, Coverall ¥16390 by WHSTLER Sweatshirt ¥16500 by Dry Bones, Shoes ¥74800 by OLD JOE
濱田さん : Glasses ¥39600 by FIVESTARISE / OPTICAL TAILOR CRADLE, Coat ¥79200, Overall ¥74800, T-shirt ¥16500 all by OLD JOE Shoes (for your reference)
山路さん : Glasses ¥35200 by BJ CLASSIC COLLECTION / OPTICAL TAILOR CRADLE, Overalls ¥20790, Jacket ¥10780, Boots ¥18590 all by WHISTLER, Others are for your reference
藤田さん : Glasses ¥31900 by EFFECTOR / OPTICAL TAILOR CRADLE, Shirt ¥13200 by Dry Bones, Suspenders ¥6380 by DAVIDS CLOTHING
          Pants ¥79200 by SEVEN BY SEVEN, Coat ¥14190, Boots ¥32780 both by WHISTLER

this spread
stylig Reica Ijima, hair and makeup Kohi Ando, Yui Shinohara (both from Takeo Arai office)

KOSHI YAMAJI
SHUSAKU HAMADA

暗闇に冴える音。

「暗闇」と文字にしてみると「音」がふたつあることに気付く。暗闇で五感の中で役に立つのは聴覚、嗅覚、触覚なのだと思うが、中でも聴覚は研ぎ澄まされることになる。

暗闇では小さな光でもその光は絶大な力を持つことになる。音もまた閃光が如く目の前を明るく照らすこともある。暗闇はいつしか、音と光を際立たせる装置となりうるわけだ。

ぼくがこの音を初めて聴いたのは暗闇とはまるで地球の裏側であるかのように爽やかな朝の象徴ともいうような番組の中で、自ら暗闇をつくり、観る者の聴覚を最大限に発揮させるような音だと思った。衝撃というよりは閃光が走るような感覚で、まだ誰も聴いたことのない「音」がテレビから流れてきた。この日の朝の番組を見ていなかったら、ぼくはこのバンドのことを知らなかったかもしれないし、それ以外の場所（ラジオとか、何らかの媒体で）でこの音を耳にしていたかもしれない。ただ、そのあまりに爽やかな番組にその音はかなり夜を感じさせる音だったことは今でもはっきりと覚えている。

よくわからなかったのは、バンド名だった。「the engy」とは最初は読めず、エナジーと勝手に読んでしまったのだけれど、検索しても出てこない。仕方がないから番組名と「the enagy」と入れたら「the engy」だと知った。

正直な話、第一印象はその容姿からは決して出てきそうもない、「おしゃれ」な音だった。いや、まあ、the engyはおしゃれとはやはり地球の裏側くらいに遠かったように感じてしまった。それはそれ、ミュージシャンなのだから、おしゃれに気を使うより、音に気を使えば良いのだから、それを含めて彼らの音が好きになった。日本からはあまり出てこない音楽だというのが率直な感想だった。

今の時代だから、彼らをキャッチすることができたんだ、とも思う。ぼくはすぐにインスタのストーリーに「the engyすげえ良い！」くらいのことを書いたら、すぐに友だちからメッセージが来て、担当者を知っているというので、早速手紙などを書いてみたわけだ。それを送ろうかな、と思っていた矢先に、その友人とご飯を食べることになり、そこでその担当者とばったり会ってしまう。世の中のなんと狭いこと。まあ、出会うべくして出会ったバンドなのだとこのときのことを思い起こしても証明されそうだ。世界のどこかででっかい仙人みたいな人がいて、我々人間をずっと観察している。その仙人がこいつとこいつは合わせたほうが良いと思うのだけれど、いきなり無人島でばったり合わせるわけにもいかないし、マッチングアプリで男同士が会うわけでもないから（マッチングアプリすら持っていないけれど……）なぁ、と悩んだんだと思う。で、悩んだ末にここはひとつ、友だち同士が友だちだったという体で会わせてみようかな、と仙人は世の中で、どこにでも転がっていそうな出会いの中でも

the engy YUTO SAKAI KYOSUKE FUJITA

もっともありがちなタイプにまとめてみたんだと思ったりして。

しかし、あのときの朝の番組がきちんとしたライブだったのも功を奏したと思っている。というのはこのバンド、音源もいいのだけれど、ライブが良い!(ということにコロナ禍で何度も延期され、今回やっとこさライブを開催するという中で初めて観ての感想ですが)

メンバーは作詞作曲とボーカル、ギター、プロミングまでをする山路洸至さん、ベースの濱田周作さん、このふたりは大学時代からのメンバーで、就職を機にメンバーが脱退し、ドラムを探していたところ境井祐人さんが参加、さらにギターとキーボードを探していたところに藤田恭輔さんが参加するという経緯で現在に至る。

音楽の雰囲気を伝えるというのはとても難しいのだけれど、ソウルやファンクといったR&Bの匂いを感じさせつつ、ヒップホップの要素はマストで入りつつ、AOR的なジャジーな感覚も兼ね備えている、とぼくは思っている。音楽は素人なので、上手く言えているとは思っていないのだけれど。それでも、日本人とは思えない山路さんの声だけでも十分ソウルフルだし、音質を自在に変えつつ、変態チックなギター音を鳴らす藤田さん、濱田さんのファンキーで重厚なベースに、境井さんのドラムが入る。このドラムをタイトといって良いのか、わからないのだけれど、ぼくの好きなドラマーにとても近いフィーリングとグルーブ感があると感じている。

超絶テクニックという感じではないけれど、まるで手練れの職人が伝統工芸をつくりあげているみたいにいぶし銀なタイプの4人が集まって、マニアックな音でポピュラーをつくり出しているという印象だ。

メジャー初アルバムの「On weekdays」を聴いても、その音の表現力とジャンルの幅の広さが伝わってくる。ちなみにこのアルバムは1日を1枚のアルバムで表現したというだけに爽やかな朝をイメージした曲(これだったらあの朝の番組もマッチしていただろう)から夜の重みを感じる曲までが揃っている。

とまあ、そんな経緯や出会いもあり、今回はPLEASEのファッションシューティング(the engyのリクエストで、アメリカの禁酒法時代のようなスタイリングで)で格好良いthe engyを撮影。メンバーはフォトジェニックでした。そして、ライブ写真とともにご紹介。

聴覚が冴える暗闇の中で、ときに音は光と化して聴くものにエネルギーを与える。そんな風にthe engyの楽曲を、ぼくは耳で光を見ることがある。まだメジャー1stアルバムがリリースされたばかりだから、これからが楽しみなのも当たり前。そして、多くの人の耳にも光を届けて欲しいと願う。

良い音楽との出会いなんてものは暗闇の中で誰かとばったり会うようなものなのだろう。それで良いと思う。

text Toru Kitahara

Headband ¥201420 by Stephen Jones, Choker ¥28600, Coat ¥715000, tights ¥17600, Shoes ¥70400 all by UNDERCOVER

Get closer little by little

All Items by UNDERCOVER

photography Toru Kitahara

styling Reica Ijima

hair Takeo Arai

make Kohi Ando

model Raira Yamaguchi

Headband ¥122100 by Stephen Jones, Jacket ¥93500, Vest ¥38500, Blouse ¥143000, Cummerbund ¥19800, Pants ¥132000, Shoes ¥70400 all by UNDERCOVER

Headband ¥201420 by Stephen Jones, Choker ¥28600, Jacket ¥770000, Pants ¥110000, Shoes ¥70400 all by UNDERCOVER

Headband ¥44550 by Stephen Jones ... ¥40000, tights ¥ 49500 all by UNDERCOVER

Headdress ¥319000 by Stephen Jones, Choker ¥28600, Shirt ¥61600, Vest ¥79200, Belt ¥220000, Shoes ¥70400 all by UNDERCOVER, inner legging(stylist own)

山口らいら　RAIRA YAMAGUCHI
2009年7月24日生まれ。小学生とは思えない存在感で既に多くのクリエイターから注目が
集まるモデル界期待の新人。Instagram:lespros_raira
¥328320 by Stephen Jones, Choker ¥28600, Knit ¥220000, Belt ¥220000, tights ¥49500, Shoes ¥70400 all by UNDERCOVER

EVOLVING NOSTALGIA

Paco Rabanne & Courrèges

photography Toru Kitahara, styling Reica Ijima, hair Takeo Arai, makeup Kohi Ando (Takeo Arai office), model Hana

left page : Top ¥123200, Leggings ¥38500, Bag ¥92400 all by Paco Rabanne , Head dress ¥69300 by misaharada london
this page : Dress ¥201300 by Paco Rabanne, Choker ¥174900 by ALL BLUES, Shoes ¥128700 by Gianvito Rossi, Head dress ¥69300 (both) by misaharada london

Dress ¥123200 by Paco Rabanne, Boots ¥143000 by JIMMY CHOO, Head dress ¥69300 by misaharada london

Tops ¥92400, Dress ¥451000 both by Paco Rabanne, Shoes ¥147400 by JIMMY CHOO, ear cuff ¥ 15070 by critical:lab, Headdress ¥69300 (both) by misaharada london

Dress ¥155100, Boots ¥82500, Ring(set of 2) ¥30800 all by Courrèges, Cap ¥40700 by misaharada london

Top ¥124300, Skirt ¥81400, Ring(set of 2) ¥30800 by Courrèges

Coat ￥211200, Boots ¥167200, Ring(set of 2) ¥30800 all by Courrèges

Dress ¥81400, Ring(set of 2) ¥30800 both by Courrèges

COMME des GARÇONS JUNYA WATANABE MAN
2021 automne hiver

photography Toru Kitahara

DYNAMIC, STATIC,

all items by

THOM BROWNE

photography Toru Kitahara
styling Reica Ijima
hair Takeo Arai
makeup Kohi Ando(Takeo Arai office)
model Sara Minami,
Elvis Mochizuki

right girl : Jacket ¥528000(reference price), Shirt ¥269500(reference price)
Skirt¥404800(reference price), Tie¥30800, Bag ¥268400, Shoes ¥112200
all by THOM BROWNE / THOM BROWNE AOYAMA
Left boy : Jacket ¥664400(reference price), Pants ¥103400(reference price)
Shirt ¥44000, Tie ¥24200, Socks ¥12100, Shoes ¥158400
all by THOM BROWNE / THOM BROWNE AOYAMA

right girl : Shirt ¥269500(reference price), Jumper skirt ¥250800(reference price), Phone holder ¥122100(reference price)
Shoes ¥132000(reference price), Tie ¥30800 all by THOM BROWNE / THOM BROWNE AOYAMA
left boy : Jacket ¥302500(reference price), Pants ¥206800(reference price), Shirt ¥44000
Tie ¥24200, Boots ¥144100(reference price) all by THOM BROWNE / THOM BROWNE AOYAMA

Dress ¥84700(reference price)
Bowtie ¥61600(reference price)
Boots ¥363000(reference price)
Vest, Skate shoes bag (both are for your reference)
all by THOM BROWNE / THOM BROWNE AOYAMA

Dress ¥1111000(reference price)
Bowtie ¥61600(reference price)
Boots ¥363000(reference price)
all by THOM BROWNE / THOM BROWNE AOYAMA

45th PIONEER
Anniversary!
———— Char

SUNTOWN
RADIALL

職業ギタリスト。

　45年前、おそらく日本中のロック少年たちはその姿に熱烈な憧れを抱いたに違いない。日本のロックシーンにこんな人が出てきたのか!?　と。まさにロックを体現するかのような出立ち、サウンドに度肝を抜かれた。あれから月日は流れたが、Charさんは変わらない。漠然とした印象なのだけれど、初めてテレビで見たCharさんと目の前でお話をしていただいているCharさんにはそんなに差がない気がするのだ。もちろん、時間という流れの中で年齢を重ねていることはわかるのだけれど、それでも変わらない人だと思う。

　変わらないままデビュー45周年、そして、ニューアルバム「Fret to Fret」も発売ということでインタビューを敢行!

　「あっという間だったけれどね。デビューシングルを出して、45周年だけれど、プロとして音楽活動を始めてからだと50年になるかな。何が変わったかって、ずっとやっていることは一緒だからね。45年前も今も、同じ曲をプレイしているわけで、そういう意味では音楽は歳を取らないってことがすごいよね」

　音楽は歳取らない!　まさに音楽とともに歩んできた45年でもあったのだ。だからCharさんも歳をとった感じがしないのか?　それでも45年前と今はどこか変わったのではないだろうか?

　「昔は今より圧倒的に限られている機材の中で、アナログでやっていた。それが今はデジタルになって、というところは変わったよね。今じゃあ、楽器弾けなくても、デジタルで音楽を作れるんだから、音楽の環境は変わったよ。簡単に言えば、アナログのチャンネル数が最初は4チャンネル、それが8になり16になり、アナログの最後は32チャンネルまでになった。チャンネル数が少ないと一発録りするときにどう演奏するか、どう録るかにかかってくる。演奏はもちろんだけれど、エンジニアの技術にもかかってくる。エンジニアもプレイヤーもみんなアイデアを出して、まさに真剣勝負だった。デジタル機材で作る音楽がいっぱいある中でも、ぼくらは昔と変わらない。結局プレイヤーだからね、楽器を弾くしかないんだよ」

　写真に置き換えてみるとデジタルでできることは広がった。レタッチといわれる後処理もできるようになった。技術的な面の広がりに対して、写真とどう向き合うか、という話にも似ている気がした。

　「残るものがデジタルのデータだろうが、アナログのテープだろうが、プレイヤーが弾くということは変わらない。それをどういうクオリティで表現するにかかってくる。想像力を持って、こういう音を出したい、というイマジネーションがないと後でどう処理しても良いものにはならないんだよ。特にバンドは複数の人間でやるから、それぞれの楽器の仕事が違う。その楽器をやっている人のそれぞれのイマジネーションがあって初めてできあがるものがある。それは45年前もニューアルバムもやっぱり変わらない。4人でスタジオ入って、"せいの"で演奏するだけなんだ。デジタルになってチャンネル数が無尽蔵だからマイク100本置けばいいかというとそんなことはない。それよりはエンジニアがどこにマイクを置くか、1本のマイクの位置で全然音が違ってくる。結局、頭でいい音が録れていれば、あとは何もしなくても良いっていうのかな。ただそこに行き着くまでが大変で、ドラムなんて時間がかかる、生音だからね。エンジニアはもう一人のミュージシャンで、マイクの置き方や調整次第なんだよ。実際ドラムは45年前と同じRobert Brill（ロバート・ブリル）で、変わらないんだ、細かいところとか（笑）」

　音楽は人間が作るものなのだということを改めて感じる。そこには個性を大事することも必要なのだ。

　「仮にAIにCharって音楽を作らせたとする。音楽から性格まで打ち込んでもどこまで行ってもそっくりってだけでそれ以上のものは出せないと思う。すごい音楽でも芸術でも何でも、立体的というか、後ろに何かが見えてきたり、聴こえてくる。聴いた人、見た人が自分なりの想像力を広げられるものが残っていくものだと思う。自分がピアノなり、ギター1本で作った音にドラムが入ったら、ベースが入ったら、キーボードが入ったら、って頭の中に想像した音楽が広がっていく。自分の中にある引き出しからあれが聴こえてくる、これが聴こえてくるっていうのを入れていく作業は音楽をやっていて面白いと思う瞬間なんだよ」

　一人で一曲を作り上げることもあるということだが、それでもバンドでのレコーディングにこだわるのにも理由がある。

「一人で作っているのとは奥行きが違うというか、一人一人の人間のキャラクターが出てくる。絵とか写真は一人で完結するかもしれない。だけれど、バンドっていうのは一人じゃ完結しないから、面白いんだ。人間の日常から出てくる発想の違い、個人から出てくる発想の違い、その違いが幅になって、良い音楽になるんだ。それはサンプリングしたものを重ねるのとは訳が違う」

45年の間、ずっと第一線にいる理由がこうしたバンドへのこだわりや、丁寧な音作りなのだと伝わってくる。紆余曲折しながらも歩んできた45年の道のりは決してやさしいものではなかったはずだ。

「本人は周年って意識しているわけじゃないけれど、同じことやっているわけだから句読点がつかないのをつけてもらったという感じかな。立ち止まって振り返るタイミングでもある。45年前の俺のギターも良いけれど、今の俺のギターも良いぞ、ってね。意外と45年前の俺に勝てないぞ、勢いすごいな、とも感じるわけ。この曲良いな、とか思うのよ。音楽にもファッションと同じで流行がある。その時々の流行を真似したりする、以前は真似した曲、とかあるんだけれど、もう真似したい曲がないんだよね。だから、ちゃんとギターも練習していないと自分という存在を取り戻せなくなるんだ」

Charさんが練習を怠れないという言葉にただグッときた。やり続けることの難しさが実はこんな一言にあるのではないだろうか、と思う。45年、やり続ける、走り続ける姿がそこにあった。若き日のCharさんのことも少し触れていただいた。

「70年代15、6歳になると戸越銀座から渋谷に出て、原宿になり、遊びを覚えて赤坂になり、ついにはロンドンになりパリになりLAになり出会いも増えた。あの無鉄砲さは若さだよね。怖いもの知らずというか。それが今では出会いが少なくなり、インスパイアされることが少なくなる。今回のアルバムって、ロックとかギターとかはこうじゃないといけないという肩の力みたいなものがなくなって、すごくコンパクトなものになっているのかもね。CDって70分なのだけれど、LPって片面23分くらいで両面50分弱、A面とB面の間に句読点もある。だからLP制作ってギュッと詰める感じがあるんだ。A面の最初の曲、最後の曲、B面の最初の曲、最後の曲を悩む。これは嬉しい悩み。50分って入れられない曲もあるけれど、CDはたくさん入れるから佳作も入れないといけなくなる。それでひとつひとつ丁寧に作れなくなることもある。今回はアルバムだから、アルバムジャケットを作る楽しみもあったね。遠くから見ることもあるから、ちゃんとこだわりたい。そのビジュアルを見たときに中身の音が聴こえてくる。45年経って、ここ(LP)に戻れたことが嬉しい。CDって小さくて、思い入れがない気がしない？　LPはそこまでお金かける？　ってデザインのアルバムも世の中にはたくさんある。とはいえ、富士山バックに白いスーツのファーストアルバム「Char」を超えられない気がする。日本一になる、だから富士山、スーツ持ってカメラマンと行ったり、車で行ったのを思い出すね。レコーディングのことやその前にアルバム出すという話をもらって、シングルとは違う大変なものだという緊張感もあったしね。アルバム一枚でいろんな風景が思い出せるデビューアルバムで良かったな、と思うよ。1枚目は生涯聴ける一枚にしたいと思ったから、それだけの緊張感も達成感もある。いまだにベストはどれかと言われるとファーストアルバムと言えるんだ」

日本のロックギタリストの先駆者がいまだにファーストアルバムを超えられない、という言葉はまた尊い。想いの詰まった一枚だったのだ。そのアルバムに収録されている「Smoky」に当時のぼくらはロックを感じ、日本人離れした曲調、風貌、すべてが格好良いと思ったのも昨日のようだ。ニューアルバム「Fret to Fret」の一曲目は「Stylist」。ファッション誌「PLEASE」としても気になるところだ。

「70年代の16歳から20歳の辛かったり、楽しかったりした時代の原宿があった。日本で最初にスタイリストになった高橋靖子(通称「ヤッコさん」)さんがいて、ヤッコさんは友だちの義理のお母さんのような存在だったんだ。海外からスタイリングという仕事を持ち込んだ人でもあった。その友だちもギタリストだったんだけれど、亡くなってしまって、それでなんとなく疎遠になっていたのを、ヤッコさんの最初のアシスタントだった中村のんさんが繋いでくれて、久しぶりに話せた。この10年くらいの間にヤッコさんと仕事もしたんだよね。それがゴルフメーカーというのも笑える話で、原宿のロック少年だったのとファッションの最先端だった人がゴルフの映像の現場で会うのがね、面白くて。とはいえ、45年前からスタイリストという職業の人が身近にいたことは大事で、この曲も最初から「Stylist」という曲にしようと思ったわけではなく、完成してうちにヤッコさんが見えてきて、スタイリストという仕事の人の曲にしようと思ったという感じ。企画じゃなくて、スタイリッシュ→スタイリスト→ヤッコさんとなって一気に詩もかけた」

この曲もまた、時間が書かせたものなのかもしれない。

「45年前には思いつかないけれど、45年以上前の景色があるんだ。青山、原宿あたりででかい袋を持った彼女がいてね。昔はもっともっと裏方だった。そんなスタイリストの曲」

原宿という街におしゃれな人が集まってきたばかりの日本のファッションの黎明期だった頃にCharさんがそこにいたからこそできた曲だったのだ。

「ヤッコさんのスタイリストじゃないけれど、ギタリストって呼ばれるのはあの一枚目「Char」があるからだよね。ギタリストって職業なんてあってたまるか、って思うくらい(笑)。でも、嬉しいよね。小っ恥ずかしいけれど、自分からそう呼んでくれと言っているわけじゃないのに「ギタリストのCharさんですよね」と呼んでくれるのは嬉しいんだ。それも45年という年月が作ってくれたんだと思う」

職業、ギタリスト。45年もの間、ぼくらを釘付けにしてきた格好良いCharさんはちゃんとした大人なのにちゃんと少年のような茶目っ気を残している。そして不良の匂いも漂っている。格好良い大人とは結局「子ども」なのかもしれない。

Official site : www.zicca.net

photography, text Toru Kitahara

THIS

地球とともに、地球のために、自分と向き合う。
丁寧な暮らし、丁寧な生き方、丁寧ないとなみ。

処分寸前のリーバイス 501 をアメリカから買い付け、
息を吹き返らせる思い。

廃棄される運命のテントやシュラフを
バッグや服に生まれ変える
コールマン「MFYR」プロジェクト。

一針一針が伝える服の力、
高橋芽衣子さんが縫う「Cavalier」のシャツを
竹中直人さんに着ていただいた。

リーバイスの501が20屯！

おそらく、自分の人生の中でひとつのものを最も多く買ったと記憶する服を挙げられるとしたら、リーバイスの501と言って過言ではないだろう。中学2年で雑誌「POPEYE」で見た写真からその存在を知り、高校生になり、バイト代で初めて買ったときの感想は「ボタンフライが硬くて履きにくいなぁ」だったのだが、いつの間にかボタンフライの良さをどんどん知っていく。

大学生になると洗い方（デッキブラシで洗うとか、お風呂に履いたまま入るというもの）まで伝授され、体の一部になっていったことを思い出す。社会人になっても履いていて、安西水丸さんから、「北原はリーバイスが似合うね。デニムはね、一度でも履かなくなると体が変わって履けなくなるからずっと履いているほうがいいよ」と言われたことをしみじみと思い出す。

多くのファッションデザイナーのコメントでも「501は完成されたデザイン」という言葉を目に、耳にする。だから、今でも履いている。履き続けている。

501もまた男の浪漫なのだと思うこともある。だけれど、それを履く女性の姿もエレガントに映ることもしばしばで、白いシャツに501という姿はぼくの中で目に焼き付いている

スタイルのひとつだ。

そんな男の浪漫であり、エレガントな女性のアイテムでもある501をこれほどまでに大量に見たのは生まれて初めてだった。

昔、小林旭さんの曲（ぼくは甲斐バンドのカバーを聴いたのだと調べて知りました）に「ダイナマイトが百五十屯」という曲があったのだけれど、「501が20屯」なのであった。それはヤマサワプレスという会社の倉庫で見せてもらったものだ。

「アメリカに行ったとき、この501の古着は廃棄すると言われて、これが捨てられてしまうのか、と思ったら、なんかできるだろうと、全部買って日本で使ってみようと思った」

という山澤亮治さん。しかし、この20屯の古着。かなり臭いという欠点もあったのだが、そこからが山澤さんの本業の力の見せ所であった。

「ぼくは2代目なのですが、父親はフリーのプレス屋だったんです。呼ばれると色んなところでアイロンをかけるプロだったのです。それをぼくが社長を継ぐときにヤマサワプレスとしてプレス専門の会社にしたのですが、そのうち、修繕を頼まれるようになり、修繕をし始めて、洗いも頼まれるようになったので、洗いもやるようになり、今のようなスタイルになって

息を吹き返らせる！

いきました。それがこの501の古着のプロジェクトを始めるにあたっても役に立っています」

　と言われるとどれが本職か分からないほどなのだ。ひとつの仕事が「連鎖」していき、ヤマサワプレスという個性的な業態が生まれたという感じだ。

501が再び息を吹き返す。

　山澤さんの501を再生させる過程はこんな感じだ。

　20屯の501を仕分けする。ダメージの程度やすでに部分でしかないもの（カットオフしたものなど）の仕分けをする。そこから必要なものを選んで天然由来の洗浄液に501の古着を漬けておく。同じ洗浄液をスプレーで吹きかけながら、馬の毛のブラシで叩いたり、擦ったりすることで汚れを落としていく。この洗浄の効果で相当匂いはなくなる。脱水して、扇風機をかけながら干して、乾いたら修繕箇所を修繕して、最後の仕上げにプレスをする、と言う段取りだ。

　これだけの工程を経て501の古着として商品にしたり、ダメージが大きいものに関して

は部品取りというか、色んなパーツを外したり切ったりして、使える場所を残しておいたり、生地として素材を残すこともある。面白いなぁと思ったのが、もともとパーツになっているものもあること。それはカットオフしたレングスで、腿のあたりから下しかないものだ。ああ、なるほど。これはこれで残っているのね、と妙に納得するのだけれど、これは使い道を考えると面白く使えそうでアイデアが広がった。

　第一段階としては廃棄される運命だった501に息を吹き返らせるという作業があった。これはもうどこにも行き場のない食材を「オレが料理すればうまい料理にする」と一流シェフが言っているようなものだ（と山澤さんにプレッシャーをかけてみる）。

　山澤さんは昔から501が好きで、この廃棄物（501の山）を買ったわけだけれど、ぼくも501好きとして、日夜501と対峙するというのはなかなかの根性がいるものだと思う。

　地球環境を考えれば「捨てない」という選択肢は非常に重要なこと。この取り組みはさらに広がりを見せていくようで、いくつかのプロジェクトは進んでいる。

　今だからこそ「捨てない」。良いと思う。

photography, text Toru Kitahara

nowhe to go

Coleman MFYR project

photography, text Toru Kitahara, styling Yumi Mori, models: Shunki, Ryohei, Teppei, Mikuto

We are houseless?

すべてのものを最後まで使い切ること。「完うする（まっとう）」という言葉が頭から離れない。

使い捨てという概念をなるべくなくしていくことがこれからの日本、そして地球を少しでも悪くさせない（あくまでも良くするわけではない）、我々のできることだろう。日本は特に使い捨ての文化が加速度を増した時期があったように感じる。せっかく「もったいない」という言葉があるにも関わらず。無駄をなくすというけれど、日本人の多くが、時間がないと口にし、時短のために使い捨てを良しとする傾向がある（もしくはあった）。丁寧な生き方をするのは日本人の得意とする気質だったはずなのに。

昔の人は台拭きが傷んできたら雑巾にして最後まで使い切った。その台拭きもへたってしまった浴衣地だったりもして、何かを捨てるにはそのものに役割がある限りは捨てないで、その命を完うさせたのだ。食ロスと叫ばれるが生ゴミだって、生き物とともに生活をしていれば、そこで完うさせた。ゴミなんて出る暇がなかったのだと思う。

そんな「完うする」という言葉が浮かんだのがクリエイティブ・アドバイザーの松岡善之さんとデザイナーの森由美さんがアメリカを代表するアウトドアブランド「コールマン」と立ち上げたプロジェクト『MFYR』を見たからだった。

事情はあるものの、テントやシュラフなども廃棄という道を辿ることがある。そんな廃棄される運命のテントやシュラフを解体して、生地を取り、パーツ取りなどをして、素材として使うことで廃棄から救うことをしているのだ。そのプロジェクトの中で見つけたのがプロダクトとして商品となる松岡さん企画のバック以外にMFYRのアティテュードとして森さんがデザインする服。素材になる前のアイテムの用途を生かして作った服だった。

テントやシュラフの機能を考えれば、防水だったり、防寒だったりと優れていることは言うまでもない。そんな素材でできたちょっぴりパンクな服は、ホームレスならぬ、ハウスレスなときでも凌げることであろう。

とはいえ、何より大切なのは在庫から廃棄への道から救ったことだと思っている。スクラップ&ビルドの時代ではなく、今あるものを使い切る、完うさせることが今は急務だと言うことを多くの人が肌で感じている。松岡さんと森さんと、そしてコールマンの一歩が大事なのだ。

Here Comes The Sun
staring Naoto Takenaka

Featuring Cavalier Meiko Takahashi

photography Toru Kitahara, styling Reica Ijima
special thanks SAMOVAR

left page: Shirt ¥178000, Corsage ¥30000, Skirt ¥68000 all by Cavalier Meiko Takahashi
this page: Long shirt ¥185000 by Cavalier Meiko Takahashi

Shirt ¥215000, Skirt ¥68000 both by Cavalier Meiko Takahashi

Shirt ¥115000, Skirt ¥68000 both by Cavalier Meiko Takahashi

1956年神奈川県生まれ。多摩美術大学美術学部デザイン科グラフィックデザイン専攻卒業。1983年、テレビ朝日系バラエティ「ザ・テレビ演芸」でデビュー。1996年にNHK大河ドラマ「秀吉」で主演を務め、高視聴率を記録する。コメディアン、俳優として活動する一方で映画監督もこなすなど、マルチな才能が高く評価されており、3度の日本アカデミー賞最優秀助演男優賞など、多数の受賞歴を持つ。俳優としての代表作に周防正行監督『シコふんじゃった。』(92)、『Shall we ダンス?』(96)、監督作品に『無能の人』(91)、『東京日和』(97)などがある。多摩美術大学美術学部グラフィックデザイン学科で客員教授を務める。2021年に自身8作目となる監督作品「ゾッキ」が公開。

Long shirt ¥225000, Shirt ¥182000 by Cavalier Meiko Takahashi

"魂"を売る。

人のコクについて考えてしまう。ラーメンやコーヒーではなく人のコク。味わい深い以上の〝コク〟としか言い表せない、芳しい〝何か〟を放つ人の生き様。久々に出会ってしまったからだ。コクの要素はいくつかあるだろうが、だいたい狂気というものが空気感として伝わってくる。一年三百六十五日、一カ月およそ三十日、一日二十四時間、そのほとんどの時間を服作りという行為に捧げている。ロンドンで出会った老いた職人から「手を止めるな」とまるで映画のタイトルのように言われた呪文。自分が生きている限り、服を作り続けるという。自分の手が止まったとき、自分のブランドも幕を閉じる。いや、綴じるのであろう。コクの断片が其処此処に落ちている。まるで夭折のミュージシャンたちのように。しかし、急いでいる訳ではない。

コーヒーの先達たちは言った。コーヒーはゆっくり、丁寧にお湯を落していくとコクと深みのある味わいが出る。速くさっとお湯を流すと軽い味になる。まるで人生みたいにね、と。

この人、高橋芽衣子さんの手は傷だらけで、絆創膏が何枚も貼られていた。それはとても尊い。字に書いてみてわかったのだけれど、絆を創っているのだ、と。細く白い指に針は容赦なく突き刺さる。しかし、ロンドンの老いた職人の指も同じく、いや、さらにぼろぼろに指は針の餌食となっていた。それを見ているから、まだまだなのだと思っているようだ。

一枚のシャツが、布地から、パターンを当てられて、パーツになる。それを三本の細い糸を依った太い糸で縫っていく。三本の糸はそれぞれが意志を持ったように、独立して自由に遊ぶのでやっとこのような道具で一針ごとに一糸へと固く結束させながら。

時間はとても残酷で、使い方次第で人を良くも悪くもする。一針一針を人生の時間と同じ流れにするように縫っていくと、彼女の命の欠片が服に乗り移り、服が彼女の人生を少しだけ他の場所で息づかせていくようだ。

アトリエ兼自室の狭い空間にはほど良い音量でクラシックが流れている。服も同じ曲を聴きながら、誰かに袖を通されるのを待っている。その脇にはチェロが一挺ひっそりと佇んでいた。曲を奏でることはないようだが、その部屋にはあまりに自然に居座っている。

一瞬、服のことでも書こうと思考が過(よぎ)ったが、その必要はおそらくないだろう。だけれど、ずっと触れていたいほどに愛しい服だ。これほどのコクを持った服、分身という言葉が合う。

彼女の服(シャツ)に袖を通す。その体験は確かなものだ。着るというより、包まれる。

彼女の服にぼくが応えることなど初めから無理だということはわかっていた。ただ唯一できることは、ぼく自身が真摯に彼女の服と向き合うこと、つまりは本気で書くことしかないのだ。彼女が一針一針縫うように、一文字一文字をこの手で書き込んでいく。それしか、あの嵐に立ち向かうことはできない。

時々、所謂「魂を売って」仕事をすることがある。つまりは信念や理想、哲学を放っておいて、自分を見失いながら仕事をする。だが、彼女は文字通り〝魂〟を売っているのだと、言い過ぎであれば、魂の欠片を売っているのだと思った。

photography, text Toru Kitahara

PLEASE16
2021年9月9日発行
publisher：Toru Kitahara

第6巻　第2号（通巻16号）
ISBN 978-4-908722-17-2
定価：1650円(本体1500円+税)

publishing　PLEASE Co.,Ltd.
〒164-0003
Hoshino Bld. 3F 1-56-5 Higashinakano Nakano-ku Tokyo, JAPAN
mail：info@please-tokyo.com
printing：Chuo Seihan Printing Co.,Ltd.
©PLEASE 2021 Printed in Japan
www.please-tokyo.com
Instagram：@please-tokyo

editor in chief：Toru Kitahara
art director：Toru Kitahara, Riku Ohiguruma
assistant：Mai Hattori, Miku Oyama, Hana Yoshinaga